Lili est 1

Merci à Renaud de Saint Mars
pour sa collaboration

Collection dirigée par Dominique de Saint Mars

Ainsi va la vie

Lili
est malpolie

Dominique de Saint Mars

Serge Bloch

CALLIGRAM

CHRISTIAN GALLIMARD

7

8

10

14

15

Lili, tu t'essuies avec ta serviette.

J'ai très envie d'aller aux toilettes !

D'habitude, on demande discrètement à sortir de table.

Lili, tu n'as même pas dit un petit mot gentil aux parents de Clara !

Mais ils sont contents quand je viens...

... pas vrai Clara ?

Ce n'est pas une raison pour ne pas dire merci ! Ah, j'étais trop gênée !

Oui, tu seras punie. TU ENTENDS, LILI ?

19

23

25

Allez, fous-moi la paix, Pluche, tu ne penses qu'à bouffer !

Comment voulez-vous qu'on soit poli quand on entend ça !

C'est vrai, Paul, franchement...

Hum, la politesse, c'est de l'hypocrisie, de la comédie !

Pas du tout ! On peut tout dire... en respectant l'autre. Pas besoin d'être blessant pour être fort !

33

34

36

37

38

Et toi...

Est-ce que cela t'est arrivé d'être comme Lili ?

Tu ne sais pas comment être poli ? Tes parents ne te l'apprennent pas ? Oublies-tu de faire attention aux autres ?

Dis-tu des mots grossiers ? Est-ce pour t'amuser, être plus fort ou accepté par tes amis ? Comprends-tu que ça choque ?

Est-ce parce que tu es en colère contre des grandes personnes, pour te venger ou les obliger à te remarquer ?

Ou parce que tu as peur de te faire marcher sur les pieds ?
Est-on souvent malpoli avec toi ou autour de toi ?

T'a-t-on aidé à avoir confiance en toi et à te respecter ?
Si ce n'est pas le cas, as-tu du mal à respecter les autres ?

Crois-tu que ça t'empêche de te faire des amis ?
As-tu déjà apprécié la politesse de quelqu'un ?

Fais-tu attention aux autres ? Dis-tu des petits mots gentils ? Bonjour ? Merci ? Cherches-tu à aider ?

Penses-tu qu'on peut dire des choses désagréables, en restant poli ? Mais qu'on a le droit d'être impoli en cas d'urgence !

La politesse est-elle un comportement qui permet de respecter les autres et de vivre ensemble sans être obligé de s'aimer ?

As-tu remarqué qu'on est tous sensibles et qu'on se sent vite attaqué ou attristé par quelqu'un de malpoli ?

Trouves-tu que la vie serait plus agréable si tout le monde respectait les principales règles de politesse ?

Ça te fait plaisir quand tu te sens respecté par les autres ? Essaies-tu de faire ce plaisir aux autres ?

Petits conseils de savoir-vivre de Max et Lili

NON !

- Bousculer les autres, passer toujours devant.
- Parler à sa grand-mère ou à sa maîtresse comme à ses copains.
- Se jeter sur les plats et parler la bouche pleine.
- Éternuer en crachant ses microbes sur son voisin.
- Couper la parole... faire du bruit qui gêne les autres.
- Laisser son chien faire ses besoins sur le trottoir.
- Prendre toute la place sur le banc.
- Rester assis quand quelqu'un arrive.
- Arracher les pages des livres de la bibliothèque.
- Faire des messes basses devant quelqu'un.
- Salir la cour de récré, la rue, la terre, la mer...

OUI !

- S'intéresser à ce que les autres disent : chacun est sensible.
- Etre attentif à ce qui fait plaisir ou ce qui gêne les autres.
- Garder les gros mots pour les situations d'urgence.
- Raccompagner jusqu'à la porte un copain qui s'en va.
- Dire bonjour même si on n'aime pas la personne.
- Savoir dire NON, fermement, avec le sourire.
- Bien se tenir à table, même si on est seul.
- Dire pardon si on a fait mal à quelqu'un.
- Dire merci si on a été aidé, invité ou gâté.
- Laisser son siège à une personne âgée.
- Si on ne sait pas quoi dire ou faire : écouter son cœur !